EL SALVAJE Y LA MITOLOGIA, EL ARTE Y LA RELIGION

COLECCION POLYMITA

Ediciones Universal, Miami, 1975

JOSE A. MADRIGAL, Ph. D.

Catedrático de Lengua y Literatura Española
Auburn University

EL SALVAJE Y LA MITOLOGIA, EL ARTE Y LA RELIGION

F. O. BOX 353
Miami, Florida, U.S.A. 33145

Library of Congress Catalog Card Number: 75-1692

Primera Edición limitada de 500 ejemplares

ISBN: 84-399-3324-X
Depósito Legal: B. 2.234-1975

Printed in Spain

Impreso en España

Impreso en el complejo de Artes Gráficas MEDINACELI, S. A.
General Sanjurjo, 53 — Barcelona-12 (España)

A Cuba, como fiel hijo.
A mi esposa e hijos.

El hombre ha de
crear: ideas o hijos

JOSÉ MARTÍ

PRÓLOGO

Exigua atención se le ha prestado hasta hoy día al tema del hombre salvaje; el cual, además de su intrínseca importancia, parece haber gozado de una gran popularidad en el panorama cultural europeo de la Edad Media y el Renacimiento.

Los estudios sobre este ser tan peculiar y heterogéneo, son pocos. El trabajo más valioso sobre el asunto es de Richard Bernheimer y se titula *Wild Men in the Middle Ages*. Desafortunadamente, el libro no se ha traducido al español. Existen otras monografías pero de menos importancia, y casi todas analizan la función del salvaje en la literatura; rama del arte no incluida en este estudio.

La bibliografía de los trabajos escritos en español es aún más escasa. El artículo más conocido, «El tema iconográfico del salvaje», pertenece al insigne J. M. de Azcárate. Sin embargo, debido a su índole general se dejan de mencionar algunas contribuciones importantes y, en ocasiones, no se profundiza lo suficiente para explicar el *rôle* del salvaje dentro del tema de la obra donde aparece. A pesar de esto, se le debe mucho al señor Azcárate por su labor investigadora, sin la cual nos encontraríamos sin punto de partida, y especialmente en las secciones del trabajo donde se analiza dicha temática en España.

El propósito principal del presente estudio es analizar de una forma más detallada 1) la herencia mítica del salvaje y así poder entender mejor la relación que parece existir entre muchas de las divinidades rurales mitológicas y dicho ser; y 2) describir su importancia en dos áreas —el arte, principalmente la iconografía y la religión— donde su figura es usada muy a menudo por el autor, dentro de su propósito temático.

Se espera que esta exposición, sobre un asunto tan ignorado produzca algún interés entre los estudiosos; el cual resulte en futuras investigaciones que contribuyan a un conocimiento más extenso y profundo del tema.

Igualmente, es preciso aclarar que la concepción del hombre salvaje como un ser primitivo, o sea, desde una perspectiva antropográfica o antropogeográfica, no ha sido incluida. La obra está dedicada primordialmente al salvaje de herencia mitológica.

Antes de terminar, quiero agradecer a los doctores William C. McCrary, Gastón Fernández y Raúl Santo Tomás la ayuda prestada en la composición del presente análisis.

ETIMOLOGÍA Y SEMÁNTICA

La selección de un vocablo que abarque y denomine con precisión y exactitud a ese ente peculiar y heterogéneo, que es objeto de este estudio, no es tarea fácil.

Son muchas las palabras y calificativos que se han empleado para designar a tan singular personaje. Sin embargo, el término que se ha escogido es el de «salvaje»; no porque sea el único que se pueda aplicar, sino debido a su valor etimológico y semántico tan preciso.

Etimológicamente, de acuerdo con J. Corominas, el vocablo «salvaje» proviene del latín *silvaticus* (propio del bosque), el cual se deriva a su vez de *silva* (bosque).[1] Semánticamente, de acuerdo con el *Diccionario de la lengua española*, significa «selva o terreno extenso, inculto y muy poblado de árboles».[2] De esta última definición semántica se va haciendo tangible una de las características generales y primordiales del vocablo «salvaje», y que a su vez coincide con la definición que ofrece Sebastián de Covarrubias: «todo lo que es de la montaña.»[3]

Ahora bien, para hallar matices semánticos específicos hay

1. Joan Corominas, *Diccionario crítico etimológico de la lengua castellana* (Madrid: Gredos, 1954), IV, pp. 179-80.

2. *Diccionario de la lengua española*, Real Academia Española, 16 ed. (Madrid: Espasa-Calpe, S. A., 1956), p. 1186. Las futuras referencias tomadas de esta obra aparecerán en el texto del trabajo bajo las siguientes siglas: *DLE*.

3. Sebastián de Covarrubias, *Diccionario de la lengua española* (Barcelona, 1943), p. 924. Las futuras referencias tomadas de esta obra aparecerán en el texto del trabajo bajo el siguiente título abreviado: *Lengua española*.

que recurrir a este último lexicógrafo quien, al entrar más de lleno en las acepciones de la voz, expone que los pintores antiguos, con su licencia poética, describían a los salvajes como «hombres todos cubiertos de vello de pies a cabeza, con cabellos largos y barva larga» (*Lengua española*, p. 924), descripción que compagina, como se podrá observar más adelante, con la concepción más popular y común del aspecto físico de esta criatura. También hace mención que los escritores de libros de caballerías usan, específicamente, la palabra «salvaje» para denominarlos (*Lengua española*, p. 924), indicando así su presencia en este género literario. En estas dos últimas definiciones se enfoca al hombre salvaje desde un punto de vista artístico, refiriéndose primordialmente al arte iconográfico, abundante en la Edad Media y el Renacimiento; y a la literatura ficticia, específicamente a los libros de caballerías.[4]

No obstante, Covarrubias no niega la posibilidad de que en realidad existieran esta clase de hombres, y asevera que «podría acontecer algunos hombres averse criado en algunas partes remotas» (*Lengua española*, p. 924). Termina con un comentario etimológico que corrobora lo ya establecido, al manifestar que «salvaje» viene «de selva, a nomine latine sylva» (*Lengua española*, p. 924). Una vez más se hace la relación entre *silva* y «salvaje», notándose como algunos atributos y características de éste forman un paralelo con los de selva o bosque, de donde indudablemente los recibe por ser uno de sus derivados.

El otro lexicón de la época, el *Diccionario de Autoridades*, aporta una definición que, aunque difiere en algo de la de Covarrubias, no deja de tener sus puntos de contacto con ella ya que expone que «selvático» es «lo que toca o pertenece a las selvas o se cría en ellas».[5]

4. Cabe añadir que este tipo de criatura aparece también en otros géneros novelescos como el sentimental y pastoril. Respectivamente, los dos ejemplos más prominentes son *La cárcel de amor* de Diego de San Pedro y *La Diana* de Jorge de Montemayor. Sin embargo, es en el teatro donde el hombre salvaje adquiere su máximo desarrollo y popularidad.

5. Diccionario de Autoridades, Real Academia Española (Madrid: Gredos, 1964), III, p. 71.

Sin embargo, en los dos diccionarios mencionados, aunque no se niega el aspecto primitivista, se le da poca importancia, pasándolo casi por alto. No es hasta la aparición del *Diccionario de la Real Academia*, que se le pone su debido énfasis. Entre otras definiciones, incluye las siguientes: «plantas silvestres... animal que no es domesticado... y terreno monstruoso». Al igual, hace hincapié en la descripción del hombre que es «natural de aquellos países que no tienen cultura» (DLE., p. 1173). Aquí ya no se encuentran las definiciones artísticas de Sebastián de Covarrubias, sino un propósito más científico al considerar el salvaje desde una perspectiva antropológica.[6] Es interesante notar como los diccionarios, reflejan las variaciones semánticas de que es objeto el vocablo «salvaje», en las diferentes épocas.

De igual modo, junto a este epíteto existen otros como fiera, bárbaro, loco, sátiro etc., todos usados frecuentemente en obras de literatura.[7] Complicando aún más la selección de un vocablo, es la inclusión de «sátiro»: ser de naturaleza fabulosa y herencia de la mitología clásica. Dicha asociación resulta de la gran similitud física y simbólica que existen entre el salvaje y su antecesor mítico, en los períodos medieval y renacentista. El segundo capítulo está dedicado a un análisis de la herencia mítica del salvaje.

En cuanto a la lengua inglesa, debido a la índole panorámica de este estudio, el término *wild* parece ser el más aceptado para denominar al hombre salvaje. El vocablo, sin embargo, debido a la incertidumbre de su significación original y a su posible vínculo con otros,[8] posee una semasiología muy

6. El concepto del hombre salvaje como hombre primitivo no se estudiará en este trabajo, sino en otro que se publicará más adelante. En dicha monografía se hará una trayectoria del tema desde la Antigüedad clásica hasta el Renacimiento.

7. Un ejemplo de esta variedad de epítetos se encuentra en *El caballero bobo* de Guillén de Castro. Uno de los personajes al ver a Anteo (el caballero bobo), quien tiene la apariencia de un salvaje, exclama: "Villano, salvaje, loco... / Bárbaro vil... / ¿Qué miras, bobo? Eres hombre / o eres sátiro." Guillén de Castro, *Obras* (Madrid: Real Academia Española, 1925), I, p. 57.

8. *The Oxford English Dictionary*, by the Philological Society, 2nd. ed., 12 vols. (New York: Clarendon Press, 1969), XII, p. 272. Las futuras referencias tomadas de esta obra aparecerán en el texto del trabajo bajo las siguientes siglas: *OED*.

extensa. Un ejemplo de su semasiología, se puede observar en que por un lado se usa para calificar a personas que son «uncivilized, savage, uncultured, rude, not under, or not submitting to control or restraint... going at one's own will» (*OED.*, XII, p. 122); mientras que por otro, tiene acepciones que parecen haber sido tomadas, principalmente, de fuentes literarias y populares ya que versan sobre individuos «not having control of mental faculty» y sobre los que se dejan llevar por su «sexual passion» (*OED.*, XII, p. 122). El otro diccionario importante de la lengua inglesa, *Webster's Dictionary*, ofrece otras acepciones como: «licentious... characterized by a lack of moral restrain... orgiastic».[9] Estas últimas acepciones recalcan otra vez su herencia mítica.[10] Lo más probable es que estos últimos significados sean de procedencia literaria, y hayan sido agregados a su significado original con el válido propósito de poder tener un vocablo, que no sólo posea las menos limitaciones semánticas posibles, sino que también sirva de sustituto al inconveniente número de voces incompletas que reflejan un aspecto y no el todo. Antes de proseguir, se

9. Noah Webster, *Webster's New Twentieth Century Dictionary*, 2nd. ed. (New York: The World Publishing Company, 1967), p. 2091.

10. Hay que indicar que conjuntamente al calificativo *wild mand*, coexiste otro —aunque hoy absoleto— que acaso preexista en su uso. La referencia es a *woodwose* o *wodewose* que procede del inglés antiguo, *wudewasa;* término compuesto que deriva *wude* de wood y *wasa* de oscuro origen (*OED.*, XII, p. 272). Su composición etimológica da clara evidencia de su relación con lo que pueda estar relacionado con el bosque, y su semasiología lo describe como un "wild man of the woods; a savage; a satir, faun; a person dressed to represent such a being in a pageant... as a decoration, a heraldic bearing or supporter... (*OED.*, XII, p. 272). La diferencia básica entre estos dos epítetos que en obras de literatura y estudios críticos se usan sin ser diferenciados en forma alguna, y en calidad de sinónimos, parece residir en el hecho que el postrero no sólo contiene más connotaciones artísticas, sino también mitológicas; mientras que el otro, debido a su raíz —aparte de abarcar en su definición animales, lugares, etc.— hace hincapié en su definición de personas sobre rasgos culturales y antropológicos.

La primera noticia que se tiene sobre el uso de woodwoses como personajes dramáticos se remonta a una representación teatral en Oxford, durante la Navidad de 1348. Robert Goldsmith, "The Wild Man on the English Stage", *MLN*, 53 (1958), p. 481.

Con referencia al término *wild man* no es hasta 1510 que Edward Hall describe un torneo en Westminster de esta forma: Men appareiled like wildemen or woodhouses, their bodies, heddes, faces, handes and legges, couered with grene Sylke flosshed..." (cita tomada de la misma fuente y página). En esta última referencia los términos son usados sin hacer distinción alguna en su significación; lo que aclara por qué los críticos e historiadores siguen esta práctica. No obstante, las fechas de obras existentes indican que *woodwose* precede a *wild man*; aunque no sería arriesgado afirmar que este último término se debió de aplicar mucho antes de lo que la fecha indica.

debe volver a recalcar que el propósito del presente estudio es analizar solamente el salvaje de génesis mitológica y no primitiva. Es debido a esto que la atención prestada a este último aspecto es casi inexistente.

El vocablo alemán, congénere etimológico del inglés, es *wild* o *wilde*.[11] Su raíz es *wilpja*[12] y, como es de esperar, presenta etimológica y semánticamente los mismos problemas y características que el vocablo inglés. Su definición original, según el filólogo Friedrich Kluge, consiste de adjetivos como: «wild, savage and fierce».[13] Más tarde —como el inglés *wild*— adquiere entre otras significaciones: «silvestre, furioso, bárbaro etc.»[14] Se puede ver claramente como los vocablos en inglés y alemán poseen más significados que su equivalente en español, el cual es claro y conciso en su raíz y en su significación. En *wild* y *wilde* —como ya se ha anotado— existe el elemento conjetural y la incertidumbre sobre cuál en su exacta acepción primordial; y por supuesto, esta causa favorece a la adición de nuevas definiciones, con el válido propósito de crear un vocablo que se pueda aplicar con las menos limitaciones posibles.

En ambos idiomas, en el campo de las letras y de las artes plásticas, el tema salvajino disfrutó de popularidad al igual que de importancia. En Alemania específicamente, en el género literario, fue objeto de varias obras;[15] y en el filosófico has-

11. Aunque éste es el vocablo más aceptado, el alemán posee otros que si no se usan tanto para denominar a este ser, no obstante, son aplicables: "urménsch", hombre primitivo; "naturmensch", hombre de la naturaleza; "barbar", bárbaro; y "geisteskranka", loco o demente amoroso.

12. Friedrich Kluge, *Deutsches Etymologisches*, 3th ed. (Berlín: W. de Gruyter & Co., 1957), p. 860.

13. Friedrich Kluge, *An Etymological Dictionary of the German Language* (New York, 1891), p. 395.

14. Emilio M. Martínez, *Diccionario alemán-español* (Barcelona: Sopena, S. A., 1969), p. 786.

15. Entre el gran número de creaciones se distinguen entre otras, dos poemas épicos anónimos de la Edad Media. *Orendell Wolfdietrich* y *Dietrichs Drachenkaempfe*. Al igual sobresalen los romances: "Seifried de Ardemont", anónimo y "Wigalois" de Wirnt von Grovensberg. También aparece el salvaje en Der Ring, posiblemente la obra más importante del poeta alemán Heinrich von Wittenweiler del siglo xv.

ta se llegó a discutir esta criatura desde varios puntos de vista.[16]

Otras lenguas romances —aparte del español— donde el tema ha creado algún interés substancial, son el francés, el italiano y el portugués. Las tres, como descendientes del latín, al igual que el español toman la raíz latina para crear sus propios vocablos: *sauvage* en francés; *selvaggio* en italiano; y *selvagen* en portugués.

Las voces, como es de esperarse, exhiben en sus acepciones bastante similitud al español; y las diferencias que existen se han formado, debido a la adición de nuevos significados, con el propósito de abarcar de una forma más lógica las necesidades semánticas que han ido surgiendo con las diferentes épocas. El vocablo francés *sauvage* viene del «lat. selvaticum»,[17] el cual abarca a «certains peuples qui vivent ordinairement dans les bois, presque sans religion, sans loi, sans habitation fixe, et plutol en betes qú en hommes».[18] Además, de acuerdo con el filólogo F. Godefroy, el vocablo originalmente tiene otros dos significados y tratan sobre la «ferocite et silvestrite» [19] de este ser. Como se puede observar, las acepciones de *sauvage* son casi similiares a las de «salvaje» en su significado básico. En la lengua italiana, *selvaggio* tiene fundamentalmente el mismo valor semántico: «agreste, fiera, selvatico... feroce, brutale...»,[20] lo cual indica un desarrollo en las lenguas romances bastante parecido. Sin embargo, de las tres lenguas, el portugués es la que muestra el rasgo o desarrollo más interesante ya que su vocablo *selvagen,* además de te-

16. La referencia es a los comentarios filosóficos y teológicos de Heinrich von Hesler en *Deutsche Texte des Mittelalters* (Berlín, 1907), III, sobre el hombre salvaje; y el encasillamiento de éste en categorías creadas por J. Geiler von Kaysersberg en su obra intitulada *Die Emeis* (Strassburg, 1509-19). Ambas referencias se expandirán con más detalles en el tercer capítulo de este trabajo.

17. *Dictionaire General de la Langue Francaise* (París: Librairie CH Delagrave, 1895-1900), II, p. 860.

18. *Dictionaire de L'Académic Francaise,* 2 vols. (París: Imprimeurs de L'Institut de France, 1884), II, p. 711.

19. F. Godefroy, *Dictionnaire de L'Ancienne Langue Francaise* (New York: Kraus Reprint Corporation, 1961), VII, p. 331.

20. Emilio M Martínez, *Diccionario español-italiano* (Barcelona: Sopena, S. A., 1965), p. 870.

ner las significaciones regulares de «inculto, agreste, bravío, etc.», tiene figurativamente la de «bárbaro».[21] Es decir, que al contrario de la lengua española, donde se aceptan estos dos vocablos como sinónimos sólo en un uso no sancionado oficialmente, aquí son aceptados como tales por una fuente fidedigna.

21. David Ortega Covero, *Diccionario español-portugués* (Barcelona: Sopena, S. A., 1966), p. 1163.

HERENCIA MÍTICA

En la parcial exposición del capítulo anterior, se trató solamente sobre la etimología y semasiología de las voces más usadas en los diferentes idiomas, para calificar al protagonista del trabajo que nos ocupa. El presente capítulo está dedicado a la génesis del salvaje, y así poder explicar más integralmente su existencia. El primer paso es el retroceder a la Antigüedad clásica y, específicamente, a la realidad mitológica.[1] Richard Bernheimer, el expositor más sobresaliente del tema, opina que primariamente el hombre salvaje es un ser mítico que más bien pertenece al período anterior al cristiano y consecuentemente a ese mundo ficticio pagano que sobrevive, sobre todo en las áreas rurales, y llega a formar parte de las diferentes religiones que aparecen durante el medioevo, a pesar de la gran oposición de la Iglesia.[2] El resultado lógico de este fenómeno es que muchas de las características que posee el hombre salvaje en la Edad Media y en el Renacimiento, si no constituyen una directa imitación, son reminiscencias que han

1. En esta sección se tratará única y exclusivamente sobre la naturaleza y valor del salvaje como un ser mitológico en la Antigüedad. Lo referente al salvaje como un ser primitivo, que se ve en las descripciones de historiadores y filósofos, no será incluido en este estudio. Sin embargo, hay que tener en cuenta que entre estas dos valorizaciones existen muchos puntos de contacto ya que las descripciones de ellos adquieren en numerosas ocasiones dimensiones legendarias: resultado casi siempre de las necesidades subconcientes del individuo.

2. Richard Bernheimer, *Wild Men in the Middle Ages* (Cambridge: Harvard University Press, 1956), p. 21. Las futuras referencias tomadas de este estudio aparecerán en el texto del trabajo bajo las siguientes siglas: *WMMA*.

sobrevivido de un lejano pasado mitológico que arranca de la Antigüedad grecorromana.[3]

Centauros, sátiros y hasta inclusive Pan constituyen en la mitología griega esta serie de divinidades que, por sus características y actividades, representan un precedente del hombre salvaje. Los más primigenios son los centauros, los cuales aparecen en los más antiguos mitos y obras de la literatura griega, incluyendo, entre otras, *La Odisea* de Homero. De tales fuentes, a través de sus referencias y alusiones, se ha llegado a la conclusión que estos seres fabulosos constituían una raza de Tesalia muy primitiva y salvaje, caracterizados por un cuerpo de naturaleza heterogénea dividido en dos mitades: la mitad superior hombre y la inferior caballo.[4] En otras palabras, estos seres que residen en los bosques, como ocurrió más tarde con el salvaje, parecen estar caracterizados más bien por una condición que tiende más hacia lo salvajino que a lo racional.

La aserción sobre su configuración física, es también altamente sugestiva ya que «desde el punto de vista simbólico constituyen la inversión del caballero, es decir, la situación en que el elemento inferior (fuerza cósmica no dominada por el espíritu, instintos, inconsciente) domina plenamente».[5] Esta dominación, impuesta por fuerzas inferiores, es uno de los rasgos que va a resaltar y en numerosas ocasiones a caracterizar al hombre salvaje. Como resultado, dicho rasgo será utilizado en numerosas ocasiones, dramática o artísticamente, como punto de partida en la metamorfosis que sufre el hombre salvaje

3. En este estudio se usará el concepto de mitología expuesto por Mircea Eliade quien ha dedicado gran parte de sus investigaciones al tema: «In general it can be said that myth, as experience by archaic societies, (1) constitues the History of the acts of the Supernaturals; (2) that this History is considered to be absolutely true (because it is concerned with realities) and sacred (because it is the work of the Supernaturals); (3) that myth is always related to a "creation", it tells how something came into existence, or how a pattern of behavior, an institution, a manner or working were stablished; this is why myths constitute the paradigms for all significant human acts...» Mircea Eliade, *Myth and Reality* (New York: Harper, 1968), p. 18.

4. J. A. Pérez-Rioja, *Diccionario de símbolos y mitos* (Madrid: Editorial Tecnos, 1962), p. 107. Las futuras referencias tomadas de esta obra aparecerán en el texto del trabajo bajo las siguientes siglas: *DSM*.

5. Juan E. Cirlot, *Diccionario de símbolos* (Barcelona: Ediciones Labor, S. A., 1969), p. 132. Las futuras referencias de esta obra aparecerán en el texto del trabajo bajo las siguientes siglas: *DS*.

hasta su cambio a un estado superior o hasta su reintegración social.

Los sátiros, al contrario de los centauros, poseen una forma más humana a pesar de que todavía guardan complexiones animalescas como piernas y pies de cabrón, pequeños cuernos y el cuerpo cubierto de pelo.[6] Este último rasgo es de importancia ya que el cuerpo velludo es una de las características más pronunciadas y la más visible en la inmensa mayoría de las concepciones artísticas del salvaje. Asimismo, ellos escogen como morada los lugares más alejados y agrestes: costumbre que los asocia por un lado con los centauros y por otro con el hombre salvaje, quien reside casi siempre en la selva o en los lugares más ásperos y solitarios.

Ahora bien, lo más trascendental de estas divinidades menores es la traducción simbólica de sus acciones irracionales y libidinosas. Primeramente, hay que tener en cuenta que los sátiros eran miembros del séquito de Dionisos,[7] deidad que encarnaba entre otras cosas «el falo, representación de la fuerza generadora de la naturaleza y del desencadenamiento ilimitado de los deseos» (*DSM.*, p. 142). La naturaleza de Dionisos hallaba su expresión más abierta e insaciable en las orgías dedicadas a su honor durante la época de la cosecha; en las cuales, como se indicó, éstos eran partícipes.

Sería pertinente, antes de proseguir al análisis de las otras divinidades rurales, detenernos un momento y comentar desde una perspectiva más comparada la relación o similitud que parece existir entre las mismas y el salvaje. Además de las características exteriores que tienen en común —fuerza hercúlea, cuerpo velludo, traje de pieles de animales, complexión animalesca a veces, etc.— la figura del hombre salvaje, tal como es presentada en muchas de las obras de arte aquí citadas, simboliza el lado primitivo e inferior de la persona, al

6. J. E. Zimmerman, *Dictionary of Classical Mythology* (New York: Harper & Row, 1966), p. 234. Las futuras referencias tomadas de esta obra aparecerán en el texto del trabajo bajo las siguientes siglas: *DCM.*

7. Para más información sobre los diferentes aspectos de Dionisos, véanse los libros: Walter F. Otto, *Dionysus. Myth and Cult* (Bloomington: Indiana Univ. Press, 1965) y W. K. C. Guthrie, *The Greeks and their Gods* (Boston: Beacon Press, 1951).

igual que el inconsciente en su aspecto atrevido y regresivo (*DS.*, pp. 410-11). Esto debe aclarar el por qué se le ha puesto tanto énfasis a lo que representa simbólicamente la configuración física de estos semidioses míticos.

Pan, de naturaleza afín a los mencionados, es considerado como dios de los rebaños y pastores, al igual que de los bosques, la vida salvaje y la fertilidad (*DSM.*, p. 190). De aquí que se distinga por su naturaleza lasciva y degenerada, y casi siempre aparezca representado en las Bellas Artes como portador de fuerzas irracionales e instintos fecundantes. Estas características se acentúan aún más en él debido a esa afinidad que posee con Dionisos, prototipo de toda relajación. Análogamente, su residencia es el campo, sobre todo los lugares más remotos y agrestes, lo cual contribuye a que se le denomine, como se ha mencionado, un espíritu de la naturaleza y de los instintos más básicos y elementales.

No obstante, cabe recalcar que todas las funciones de Pan no son negativas. Dentro de su índole polifacética resalta su protectorado de rebaños y pastores. Tal función también la hereda el hombre salvaje. A veces se extiende, como se puede ver en el *Faërie Queene*, a la curación de caballeros heridos.[8]

Su aspecto físico, desde una perspectiva simbólica, es tan revelador como su espíritu intrínseco. Su constitución es heterogénea y consiste de mitad hombre y mitad macho cabrío. Dos aspectos resaltan en esta naturaleza: los cuernos y las patas posteriores de cabrón llenas de pelos. Respectivamente, estas dos partes del cuerpo significan «los rayos del sol y la fuerza agresiva de Aries... y la vitalidad de lo inferior, la tierra, las plantas y los instintos» (*DS.*, p. 366). Se puede observar que el valor alegórico entre estas figuras mitológicas, en sus atributos básicos, no difiere mucho. Lo más preponderante y que constituye un común denominador, sigue siendo el hecho que de una forma u otra encarnan un espíritu fecundante e instintos elementales e inferiores.

Otro aspecto en el dios Pan, que acentúa dichas característi-

8. Para más información sobre esta función del salvaje véase: (*WMMA.*, pp. 24-5).

cas y que ayuda a delinear más claramente su idiosincrasia, es el instrumento musical que parece haber inventado: la flauta. Tal instrumento musical posee un gran valor sugestivo no solamente por su configuración, sino también por sus sonidos. De acuerdo con J. E. Cirlot, la forma de la flauta «parece poseer un significado fálico» y su sonido un «dolor erótico» (*DS.*, p. 215). Igualmente, es un instrumento que representa lo opuesto del arpa, que en la Antigüedad clásica se asociaba con sonidos armónicos. La flauta, en cambio, era uno de los instrumentos principales en las orgías de Dionisos debido a que sus sonidos estridentes e irracionales acompañaban y reflejaban el tono y el espíritu de la bacanal.

Estas divinidades —en su proceso cronológico— al igual que muchas otras, pasaron a la religión y cultura romanas. Grecia, aunque en plena decadencia, todavía tenía mucho que ofrecer a una nación surgiente como Roma, lo cual ésta no sólo hereda, sino acepta. En el caso específico de la mitología, se puede observar que en su transición —en la mayor parte de los casos— sólo ocurren cambios menores como substitución de nombres y adiciones minúsculas de significados. Es debido a este fenómeno, que se encuentran divinidades como Pan, centauros y sátiros en la mitología romana, con el mismo valor semántico y alegórico que en la griega. No obstante, hay otras divinidades que surgen como Silvano y Fauno y sus descendientes.

El primero, en realidad, es un caso palingenésico y debido a que posee casi las mismas características se suele identificar con Pan. Como consecuencia, ésta será la única mención que se hará sobre el mismo.

Fauno, al contrario de Silvano, aporta nuevas características, y a su vez constituye entre todos los seres mitológicos traídos a colación hasta ahora, el menos maligno e irracional. Es más, semánticamente, el nombre «fauno» significa «el que desea bien» (*DSM.*, p. 1172); revelándose este aspecto en que esta divinidad de los campos y selvas se distingue por ser patrono y protector no sólo de la agricultura, sino también de «bosques, prados y ganados, siendo el verdadero representante de la vida nómada y pastoril» (*DSM.*, p. 172). Este ejercicio de Fauno, análogo al de Pan, trae una perspectiva discutida sólo parcialmente hasta ahora, ya que primordialmente se ha venido haciendo hincapié en los aspectos negativos de tales semidioses. Este aspecto parece haber alcanzado alguna difusión en el género literario, aunque muy poco en el arte iconográfico. Sin embargo, en la literatura de la Península, donde el tema del salvaje goza de una inmensa popularidad, tal función no es desempeñada por el mismo. En cambio, en la de otros países europeos, dicho rasgo parece alcanzar más difusión. R. Bernheimer, además de corroborar tal aserción, explica que este patronato es debido a que se creía que el salvaje sentía cierta relación o parentesco con los animales y como resultado estimaba que ellos estaban bajo su custodia y protección (*WMMA.*, p. 24). Estas características benéficas, si se comparan con las de índole negativa expuestas previamente, dan una impresión paradójica. Sin embargo, es algo que no debe sorprender ya que como se ha venido observando, estas criaturas, al igual que el salvaje, son de una naturaleza sumamente compleja y polifacética que no permite ningún encasillamiento o definición simplista.

Los faunos, descendientes de Fauno, no comparten totalmente el mismo espíritu benéfico de éste, aunque por lo general son mucho «menos brutales y malignos que los sátiros y silvanos» (*DSM.*, p. 173).[9] La constitución física de estos semidioses silvestres es descrita de la forma siguiente: «cuernos de cabra o de carnero y el cuerpo de dicho animal desde la cintura para abajo» (*DSM.*, p. 173). Tal figura, los asocia con la mayoría de las divinidades ya discutidas; o sea, que no sólo tienen mucha similitud en su significación simbólica, sino también innumerables características físicas en común.

Ahora bien, el aspecto más singular y distintivo de los fau-

9. También en las definiciones de estos seres mitológicos hay discrepancias ya que E. Hamilton no ve ninguna diferencia entre los faunos y los sátiros, clasificando a aquellos como sátiros romanos.

Aquí se ha optado por seguir las opiniones de Pérez-Rioja debido a que son mucho más reveladoras y pertinentes al propósito simbólico de esta división.

nos no reside en su físico, o en ser descendientes de Fauno, sino en su relación con el mundo onírico. Según Pérez-Rioja, simbolizan «los sueños amorosos del hombre, sueños no siempre movidos por el deseo físico, sino por la belleza como latente aspiración hacia un ideal tanto más deseable...» (*DSM.*, p. 173). En esta cita se hallan dos afirmaciones interesantes. La primera observación, que versa sobre sueños amorosos de carácter físico o erótico, no añade ninguna perspectiva nueva ya que de una forma u otra dicho aspecto se ha visto en los otros seres míticos. En cambio, es la observación sobre la otra clase de sueños, los que son movidos por la belleza de un ideal, la que ofrece un punto de vista no explorado hasta ahora. Donde se ve este fenómeno, el hombre salvaje, bajo el influjo de la belleza de la mujer —la criatura más perfecta de Dios— empieza a rebasar lo que sus instintos le dictan y a aspirar, ya sea de una manera consciente o inconsciente, a ideales más altos. Los mismos se traducen en el deseo de humildad cuando hay soberbia; de ayuda y justicia cuando hay indiferencia, etc. En otras palabras, la belleza actúa como un elemento ennoblecedor y capaz de guiar al individuo a buscar algo más sublime. Asimismo, este nuevo detalle ayuda también a contrarrestar en parte la impresión de que el hombre de la selva encarna sólo aspectos negativos; ya que en realidad es un ser polifacético. Sin embargo, es solamente en la literatura, y principalmente en el teatro renacentista español, donde dicho aspecto además de dramatizarse, alcanza un alto nivel de aceptación temática.

Con el advenimiento del cristianismo y su subsecuente doctrina la mayoría de los seres mitológicos, productos de una sociedad pagana, quedan subordinados a un plano abstracto y se preservan, primordialmente, en colecciones de mitógrafos y enciclopedistas (*WMMA.*, p. 94). No obstante, hay otros que sobreviven el ataque de la nueva religión y se mantienen, aunque transformados, especialmente en la mente del campesinado. Los sobrevivientes son más bien las divinidades que están relacionadas de una forma u otra a los campos y selvas.

Ahora bien, el hecho de que estas criaturas mitológicas se hayan mantenido vivas en la mentalidad de una gran parte del campesinado y no hayan sobrevivido como abstracciones distantes en enciclopedias o en colecciones de mitógrafos, presenta serias dificultades. El tratar de definirlas y situarlas históricamente con alguna exactitud es casi imposible, ya que solamente se tiene hoy día el producto final, o sea, la etapa final de la metamorfosis de estos especímenes de la mitología (*WMMA.*, pp. 94-5). Las únicas excepciones parecen haber sido los sátiros y faunos que aparecen no sólo en bestiarios y enciclopedias, sino también en un gran número de composiciones poéticas romanas.

Otro resultado de los cambios que la mitología sufre en la Edad Media, es la confusión y asociación de susodichos seres míticos que constituyen un antecedente del hombre salvaje. Aún más sorprendente es que dicha asociación no parece haber residido sólo entre la gente del pueblo, sino también entre escritores de envergadura.

La confusión parece tener sus orígenes en San Jerónimo, el traductor de la *Biblia.* Al traducir del hebreo al latín, la sección donde Isaías profetiza la desolación que reinará en Babilonia, menciona: «et pilosi saltabunt ibi» [10] (y los peludos bailarán o saltarán allí). De acuerdo con el profesor Bernheimer, San Jerónimo usa la palabra *pilosi* para traducir del hebreo *se'irim,* vocablo que parece haberse empleado folklóricamente con relación a unos demonios o monstruos que residían en lugares desiertos.[11] Asimismo, San Jerónimo en su comentario sobre el pasaje de Isaías, asocia a estos peludos con íncubos y sátiros como si fueran iguales. Su propósito parece ser el proclamar que todas estas criaturas comparten la promiscuidad sexual que la Iglesia tanto condenaba. Es posible observar una vez más, como la nueva religión no es lo suficientemente poderosa para erradicar la creencia en los semidioses rurales; los cuales, además de sobrevivir en la mentalidad de la Edad Me-

10. Citada en *WMMA.*, p. 96.

11. En la versión bíblica hecha por el rey James, se acentúa aún más la confusión que existe en la Edad Média con respecto a estas criaturas ya que él cambia la palabra "pilosi" por la de "sátiro": "and satyrs shall dance there". Cita tomada del capítulo de Isaías, inciso 21, de la versión de King James: *The Holy Bible* (London: Oxford Univ. Press, 1942), p. 679.

dia, también guardan sus características primordiales de fertilidad, lascivia e irracionalidad.

La traducción de San Jerónimo, como es lógico, tuvo una enorme influencia en los círculos cultos de aquel siglo y los subsiguientes, y sobre todo en los escritores religiosos quienes estaban mucho más en contacto con la traducción de la *Vulgata*. El primer ejemplo de esta asociación se ve en San Agustín, sin duda el mejor representante de la sabiduría en la baja Edad Media. En sus escritos, y específicamente en su obra maestra *La ciudad de Dios*, asocia a todos estos seres mitológicos como si fueran uno. Para él los faunos y silvanos son los mismos que los íncubos; siendo el propósito principal de todos ellos, el deseo de tener relaciones carnales con mujeres (*WMMA.*, p. 97), o sea, el desenfreno de los instintos inferiores que se traducen en erotomanía.

San Isidoro de Sevilla y Bartolomé Anglico, intelectuales de épocas más tardías, reflejan en sus escritos la misma asociación. El primero no hace distinción alguna entre hombres silvestres, faunos, sátiros e íncubos, y los caracteriza a todos como poseedores no sólo de una naturaleza peluda, sino también de hábitos sexuales lascivos.[12]

Posteriormente en el siglo XIII, Bartolomé Anglico, en su obra *De proprietatibus rerum*, en vez de tratar de aclarar y hacer una distinción entre estas criaturas, presenta al lector una asociación que es todavía más extensa y complicada. En sus escritos no manifiesta diferencia alguna entre faunos y hombres silvestres, y tampoco entre los *ficarii*, faunos, sátiros y centauros (*WMMA.*, pp. 97-8), lo cual da la impresión errónea de que para él no existe diferencia entre ellos, o peor aún, que no la sabía. La misma conclusión, puede aplicarse a San Isidoro de Sevilla.

Ahora bien, si se ha venido indicando la confusión y asociación de estas criaturas en la Edad Media, no se ha hecho mucho hincapié acerca de la significación y validez de tal aspecto. Mas, antes de proseguir, se deben separar y agrupar las fuentes

12. San Isidoro, *Etimologías* (Madrid: Editorial Católica, 1951), 281.

y juicios mencionados. A un lado se encuentran las creencias de la gente inculta, caso, en el cual no debe de haber la menor reserva al usar la palabra confusión, para denominar las ideas de este grupo que dependía para su minúscula sabiduría de la transmisión oral, o sea, de lo popular. Empero, al examinar las aseveraciones escritas de los tres autores aquí citados, y especialmente las de San Agustín y San Isidoro, no se puede afirmar en modo alguno que ellos hayan confundido, y como consecuencia, asociado estas criaturas mitológicas. Al contrario, si se analizan detalladamente sus observaciones, se nota que el propósito primario de estos escritores religiosos, al incurrir en estas asociaciones, es de una índole opuesta ya que lo que ellos quieren hacer resaltar es el aspecto que más pertinencia tiene en cuanto a sus intenciones doctrinales. Este aspecto no es otro que el sexual, el cual ellos han notado que caracteriza a estas divinidades rurales y por consiguiente, las hace atrayentes al gusto y mentalidad de la gente común.

Por tanto, la afirmación de R. Bernheimer sobre la confusión que existía en el siglo XIII debido a que se habían borrado las diferencias entre las divinidades antiguas de los bosques (*WMMA.*, p. 98), tiene que ser revisada. Hay que tomar en consideración que aunque esta confusión es real en la mentalidad del inculto, no lo es con respecto a San Agustín y San Isidoro. Ellos, aunque den la impresión de asociarlos sin hacer distinción alguna, sabían suficiente mitología para no caer en tan craso error.

Además, no se debe olvidar que su intención moralizadora, como hombres religiosos al fin, concernía más a lo que dichos seres fabulosos representaban a los ojos de la gente; o sea, sus características sexuales e irracionales. Su propósito era establecer y divulgar la naturaleza pecaminosa y monstruosa que era común a todos estos semidioses paganos, los cuales formaban un formidable obstáculo a la doctrina y autoridad de la Iglesia.

Asimismo, estas observaciones al poner su debido énfasis en el aspecto más primordial y común de los antepasados del hombre salvaje, apoyan y corroboran lo que se ha venido exponiendo en este capítulo sobre la importancia de la traducción simbólica de la apariencia y comportamiento de estas criaturas míticas.

Las referencias previas han tendido a describir la mentalidad de la gente, en cuanto se refiere al período medieval, pero ha sido en una forma general y no específica a país alguno. España, como es de esperarse, no es una excepción. Una breve pasada a la historia folklórica de la Península es suficiente para notar cómo en la mentalidad del pueblo, al igual que en las fuentes eruditas, aparecen no sólo estos semidioses de descendencia grecorromana, sino también creaciones nativas entre las cuales la única que merita atención, con respecto al propósito de este estudio, es el «Busgoso» o «Buscoso.» Sin embargo, aunque esta creación es ibérica, no deja de tener una marcada influencia clásica.

Pedro Mexía, en su libro *Silva de varia leción,* da una idea excelente de la confusión reinante y la libertad con que se asociaban estos seres en el folklore español no sólo con otros seres mitológicos, sino con visiones populares. Cuando comenta sobre Pan, dice «quiere decir trasgo o fantasma de noche»,[13] lo que indica por un lado que la mentalidad folklórica no tiende a diferenciar, sino a asociar debido a su incultura; y por otro lado, la semejanza de éstos con los faunos ya que de acuerdo con J. Grimm, los faunos se tomaban también por fantasmas.[14]

Sobre la existencia de otras figuras de tal naturaleza en España, el mitógrafo Constantino Cabal, apunta que en Castilla había un duende llamado Follet el cual iba acompañado de un fauno en sus aventuras; asociación que hizo que en la tradición popular se atribuyeran las acciones del uno al otro.[15] Todo esto, por supuesto, tiende a borrar cada vez más las dife-

13. Pedro Mexía, *Silva de varia leción.* (Madrid: Sociedad de bibliófilos españoles, 1933-34), I, p. 286.

14. Jacob Grimm, *Deutsche Mythologie,* Ed. Hugo Meyer (Graz: Akademifche Druck-u Verlagsanftalt, 1956), I.

15. Constantino Cabal, *La mitologia asturiana* (Madrid, 1925-8), I, p. 242. Las futuras referencias tomadas de esta obra aparecerán en el texto del trabajo bajo las siguientes siglas: *MA.*

rencias entre ellos. Corroborando dicha idea, Cabal en su descripción general, expone lo siguiente: «en nuestro tiempo clásico hubo "panes"; en la actual Cataluña aún hay "fantasmas" equivalentes a panes; en la Asturia de ayer hubo Busgosos, que eran panes o fantasmas...» (*MA.*, p. 243). Se deduce claramente de estas observaciones que España no constituía la excepción, y también que su folklore estaba poblado de toda una serie de mitos y seres fabulosos, que si en una edad lejana poseían características diferentes, más tarde, el tiempo y la mentalidad popular ayudaron a borrarlas.

El Busgoso o Buscoso,[16] la creación ibérica más sobresaliente, no parece haber sido otra cosa que una combinación de las características ya citadas. Un poeta anónimo lo describe de esta manera:

> Isti faunu selváticu y cerdosu,
> de los bosques guardián inofensivu,
> tien pezuñes — y tien cuernos de chivu,
> pero y mansulin y cariñosu.
> Suel con el zazador ser rencorosu,
> pero al viaxeru que no i da motivu,
> enseñai el camín; ye se compasivu,
> el xeniu de las selves, el Busgosu.[17]

El poema, aunque bastante iluminador, sólo da una idea extrínseca y parcial del buscoso, omitiendo un detalle de importancia para la mejor comprensión del mito. Este detalle consiste en que el busgoso también parece haber tenido el hábito de acosar y desear a las mujeres,[18] lo que muestra una vez más su relación directa con los faunos, sátiros y panes, y con el hombre salvaje.

16. Constantino Cabal en su estudio concluye que «su nombre viene de Buscus —que también se dice Boscus— con el sufijo "esus": propio de "buscosus", propio del bosque; la palabra Boscoso, por lo tanto, no es más que la traducción al bajo latín corriente de la palabra silvanus, en la que "silva" significa "bosque"; y el sufijo "anus" equivale al "esus"».

17. Francisco González Prieto, *El folklore artístico asturiano* (Gijón, 1921), I, p. 60.

18. R. Jove y Bravo, *Mitos y supersticiones de Asturias* (Oviedo, 1903), p. 44.

Se debe aclarar igualmente el hecho de que estos seres fabulosos de la mitología, no constituyen solamente un precedente de donde adquiere muchas de sus características esenciales el salvaje, sino que también aparecen en numerosas obras de literatura en su forma y función original; hecho que ayuda a aclarar que, en su generalidad, la asociación por ignorancia residía en la masa inculta que vivía dentro de unos límites culturales muy reducidos, y no en los eruditos.

En las páginas anteriores se ha venido mostrando que la configuración y las acciones de estos seres impúdicos de las selvas encarnan fuerzas e instintos bajos, pero sin llegar a relacionarlos específicamente con ninguna función o actividad psíquica.

En la definición conceptual de mitología —expuesta al principio del capítulo— hay un inciso que manifiesta que los mitos «constitute the paradigms for all significant human acts.» La aplicación de esta teoría a la existencia e idiosincrasia de las criaturas que se han venido estudiando, puede ofrecer interesantes y reveladoras conclusiones sobre la afinidad que existe entre un ente mítico y uno real o literario.

Intrínsecamente, y mirado desde un punto de vista psicológico, el comportamiento irracional de los sátiros, centauros, faunos, silvanos, busgosos y Pan simboliza ciertos impulsos del subconsciente, donde el individuo busca un rompimiento con toda regla que lo ata a normas ortodoxas, con el fin de buscar un curso de acción que le ofrezca suficiente libertad y satisfacción a sus necesidades y sentimientos elementales.

A la par, estos seres míticos también pueden constituir un paradigma de los instintos que se expresan a diario en el individuo, y no de una manera inconsciente, sino impulsiva. El «Id»,[19] que representa la parte de la mente humana donde se encuentra la reserva de energía instintiva y sus dos componentes de fuerzas antagónicas: el «libido» y el «mortido», representa éste otro aspecto psicológico. Muchos de los actos del hombre salvaje se llevan a cabo conscientemente, debido a que su men-

19. Estas definiciones están tomadas de: Leland and Robert Campbell, *Psychiatric Dictionary* (New York: Oxford Univ. Press, 1960).

te y organismo primitivo están gobernados por instintos básicos que, como se ha mencionado previamente, son más poderosos y dominan su limitada capacidad mental, o sea, su «ego» y «superego.» En otras palabras, la mitología en la Antigüedad, en muchos aspectos, ofrecía un equivalente a lo que hoy se denomina como actividad psíquica.

LA FUNCIÓN DEL SALVAJE EN EL ARTE

En todas las áreas del arte, hay un crecido número de ilustraciones donde el hombre salvaje es objeto de imitación. Dentro de los límites del actual capítulo, se han escogido solamente dos de las categorías más representativas: la iconografía y las representaciones dramáticas. De igual manera, la mayoría de las apariciones de este ser tan heterogéneo, en expresiones artísticas, va a estar determinada por el hecho de que muchas de sus características son una herencia directa o indirecta de lo que representan y simbolizan sus antepasados mitológicos. Debido a esto, se espera que la división anterior no sólo sirva de antecedente, sino también de referencia a la presente. No obstante, además de la influencia mitológica en la formación del tema del salvaje, hay otros factores que también contribuyen mucho a la creación, difusión y subsiguiente popularidad de sus representaciones.

A fines de la Edad Media se empieza a buscar lo exótico con mucho más interés que en épocas anteriores, lo cual resulta en la aparición del tema hacia «la primera mitad del siglo XIV, en la decoración de cajitas de marfil, piezas de orfebrería, orlas de manuscritos y, posiblemente en los tapices que en los palacios sustituían a las pinturas en la decoración de los muros.» [1] De igual importancia en la difusión del tema como elemento

1. J. M. Azcárate, "El tema iconográfico del salvaje", *Archivo Español del Arte*, núm. 82 (1948), p. 81. Las futuras referencias tomadas de esta monografía aparecerán en el texto del trabajo bajo las siguientes siglas: "TIS".

decorativo, fue la popularidad que alcanzaron «las navegaciones en demanda de tierras... las descripciones de los navegantes que costeaban África... las narraciones caballerescas, con las legendarias aventuras de sus héroes, sus luchas con gigantes y las descripciones de los imaginarios países que recorrían en su constante peregrinar» («TIS»., p. 81). Por tanto, no es la herencia mitológica que sobrevive en la Edad Media el único factor que sobresale como antecedente, sino que hay otros que también contribuyen a la gran popularidad que adquiere susodicho tema.[2] También puede observarse que la difusión del salvaje no se limita a lugares públicos, sino también a residencias privadas donde sirve como objeto de decoración.

Un fenómeno que resalta a la vista, a través de lo expuesto en las últimas dos citas, y que se verá mucho más claramente en las subsiguientes, es que este ser, o sus parientes, los seres mitológicos, no son patrimonio único de las clases bajas, como puede erróneamente entenderse debido a la parcial exposición del capítulo anterior. Al contrario, las clases nobles y hasta inclusive el clero usan el tema en un gran número de ocasiones como elemento decorativo y alegórico; lo cual corrobora una vez más el hecho de que el mismo tiene una multiplicidad enorme de calificativos, al igual que una naturaleza tan polifacética que no se presta a ninguna definición simplista.

La pintura ofrece casos de sumo interés en la iconografía del salvaje. La Alhambra de Granada posee una que se remonta a los últimos años del siglo XIV y representa a España en el arte antiguo («TIS»., p. 84). Se encuentra en la Sala de Justicia o de los Reyes y comprende, básicamente, un caballero matando un salvaje en combate, durante su misión de rescatar a una doncella que se encuentra cautiva de éste (DS., p. 410). Según Azcárate, el asunto primordial de la escena no es

2. También perteneciente a la iconografía, hay una serie numerosa de ejemplos de tema religioso que serán omitidos a propósito en este capítulo, con el fin de analizarlos en el próximo que está dedicado a la aplicación del tema en el nivel religioso.

otro que el rescate de la dama de los peligros del mundo («TIS»., p. 84), lo que demuestra una vez como a esta criatura se le consideraba portadora de bajas pasiones e instintos primarios: herencia de sus antepasados mitológicos. No obstante, se puede notar que en la pintura entra un elemento nuevo, la figura del caballero, cuya función reside en el propósito de ofrecer una antítesis al salvaje, haciendo así resaltar aún más la naturaleza maligna de éste, y visualizar la índole dicótoma del cosmos religioso de aquella época: el bien y el error.

Otra variación iconográfica del tema se encuentra en pintores famosos como Albrecht Dürer, Hans Sebald Beham y John de Bry. Cada uno de ellos ha interpretado en forma individual la leyenda de San Juan Crisóstomo, quien por sus acciones pecaminosas se convierte en un monstruo humano o salvaje hasta recibir el perdón de Dios.[3]

Esta exégesis del salvaje aunque tiene sus puntos de contacto, en lo que se refiere a su significación, con el ya expuesto aspecto de la lascivia, sí presenta un asunto diferente no introducido hasta ahora: el santo o ermitaño convertido en salvaje. Sin embargo, el asunto principal de dichos cuadros sigue siendo la ilustración de cómo, debido a la lascivia, un anciano puede convertirse en un ser de dimensiones monstruosas y grotescas.

Seleccionando el cuadro de John de Bry[4] para el análisis de tal tema, se puede observar cómo el pintor describe a San Juan Crisóstomo totalmente sumido en un estado irracional, el cual lo lleva a arrastrarse como un animal y a mirar lujuriosamente a una figura femenina que tiene en sus brazos un niño alado («SM»., p. 183). Por supuesto, el niño es Cupido, la representación del amor carnal; y la mujer no es otra que Venus, su madre y diosa de la belleza, los placeres y el amor. El cua-

3. San Juan Crisóstomo fue obispo y doctor de la Iglesia en Antioquía en el siglo IV. La base de la leyenda parece estar basada e inspirada en los años que pasó haciendo una vida ascética en las montañas, antes de ser ordenado sacerdote.

4. E. Wind, "The Saint as Monster", *Journal of the Warburg Institute,* I (1938), Plate 25a. Las futuras referencias tomadas de esta monografía aparecerán en el texto del trabajo bajo las siguientes siglas: "SM".

dro tiene una connotación religiosa que será analizada en el próximo capítulo.

Previamente se mencionó que las cajitas de marfil eran unos de los primeros objetos donde aparecían decoraciones con el tema del salvaje. Sin embargo, el papel desempeñado por éste en la mayoría de aquéllas es de carácter secundario en el marco total que ofrecen estas representaciones decorativas. Básicamente, su función dramática consiste en ser el raptor de alguna doncella y aparecer como antagonista del caballero que viene a su rescate. En otras ocasiones, la acción en estas estampas iconográficas varía un poco, aunque sin salirse de la función mencionada, y envuelve a más de un salvaje y un caballero —todos entablando batalla («SM»., p. 183).

La heráldica, todavía más que la pintura, ofrece una idea más concisa de la popularidad que adquiere el hombre salvaje, ya que aparece como emblema en los escudos de armas de numerosas personas, familias y hasta pueblos durante la Edad Media y el Renacimiento. Su función en los escudos varía grandemente, representando a veces un papel central mientras que en otras ocasiones su valor es sólo de talismán. R. Bernheimer estima que esta figura llegó a tener tanta popularidad y valor sugestivo, que llegó a ser adoptada como emblema heráldico por más de doscientas familias en Europa (*WMMA.*, p. 177).

La causa de la cantidad tan abrumadora de adopciones no es muy clara, aunque dicho autor estima que quizás algunas de las que lo incluyen, como parte integral de su escudo de armas, deben haberse sentido orgullosas de su participación tradicional en los carnavales de tema pagano; mientras el propósito de otras es el demostrar, a través de su figura, su fuerza, robustez y fecundidad (*WMMA.*, p. 177). En cuanto a lo pagano, se puede notar que la inclusión está relacionada directamente con lo ya expuesto sobre su herencia mitológica. Resalta otra vez su simbolismo elemental e inferior: características que por su connotación sexual hacían al salvaje aparecer como una criatura muy atrayente y exótica.

Las otras características, excluyendo la referencia a la fecundidad, que más bien está asociada a lo previamente dicho, hacen hincapié en su fuerza y robustez. Tal asociación tiene su origen en la leyenda de Hércules, a quien se le consideró en la Edad Media como un hombre salvaje no por su herencia mitológica, sino por su apariencia, ya que en el arte grecorromano se le pinta vestido en la piel del león matado por Nemea y llevando un garrote (WMMA., p. 101). En aquella época el concepto de fortaleza y poderío que encarnaba el hombre salvaje, debido a su parecido extrínseco con Hércules y a su aspecto natural y feroz, debió de haber gustado mucho a la legión de nobles que dedicaban la mayor parte de su tiempo al arte de guerrear, o a sólo enseñar su supremacía física. Por tanto, está presente el concepto de que, debido a la gran fortaleza que se estimaba poseían los salvajes, podían ser asignados a cualquiera tarea u oficio que requiriera la función de guarda o protector.

En el caso específico de España, hay varios ejemplos que corroboran lo planteado sobre su popularidad y difusión como tema decorativo. José M. de Azcárate estima que «a fines del primer tercio del siglo XV comienza a utilizarse en Castilla el tema del salvaje como tenante de escudo» («TIS»., p. 90). Posiblemente el ejemplo más antiguo es el que se encuentra en la portada del castillo del privado don Álvaro de Luna, en Escalona. Resaltan en la fachada las figuras de dos salvajes desnudos, flanqueando en función protectora el escudo de armas, y mirando en actitud desafiante a dos animales que tienen intención de atacar («TIS»., lámina IV, figura 4). El aspecto corpulento de ellos, en este ejemplo, se asemeja más a la figura de Hércules que a la de ningún otro ser aquí tratado. La significación de la portada, hay que buscarla en la asociación o paralelo simbólico que crea el artista. La fuerza hercúlea y actitud protectora de los salvajes deben dar a entender que el amo del castillo de Escalona, don Álvaro de Luna, es también poseedor de dichas cualidades.

Hacia finales del siglo XV, hay otra manifestación del tema que merece atención. La referencia es al escudo heráldico de la Casa de los Dávilas, en Ávila, donde los salvajes están representados no sólo en una posición diferente, sino también con otra significación y propósito. En vez de encontrarse defendiendo el escudo, están encadenados, arrodillados y sumisamente apoyando el escudo («TIS»., lámina V, figura I). La nueva posición puede significar la fuerza superior que sostiene y mantiene, en el nivel socio-político debido, a la familia Dávila. Sin embargo, esta variante que los relega a un estado más bien humillante de opresión y servidumbre, parece indicar el hecho de que el dueño del escudo es un individuo de altas cualidades morales, capaz de poder dominar y rebasar toda clase de instintos y pasiones de baja naturaleza, o sea, su lado inferior; y para ilustrarlo, los salvajes, que encarnan dichas características negativas, se encuentran presos en una posición inferior en el marco total de la obra iconográfica.[5]

El último aspecto artístico de este capítulo, tratará brevemente de dar una idea sobre la función del salvaje en las representaciones teatrales no escritas, las cuales alcanzan su mayor propagación hacia las postrimerías de la Edad Media.

Tales funciones dramáticas variaban desde los actos de tipo popular y folklóricos, en los cuales algunos permitían y hasta requerían la participación de la gente, hasta los que se presentaban en ambientes cortesanos solamente para una audiencia selecta. Ahora bien, ninguna de estas representaciones se crearon para ser leídas y por tanto no fueron escritas, lo cual hace que la información descriptiva que se conserva hoy día contenga, básicamente, comentarios de una naturaleza muy general: conservados en su mayoría en crónicas de la época.

Las funciones dramáticas de carácter popular debían su

5. Si en España gozaba de popularidad el tema del salvaje, lo normal es que llegara a Hispanoamérica tarde o temprano. Ya en el siglo XVI hay dos representaciones que captan la admiración de historiadores del arte. Uno es Elizabeth Weismann, quien en su libro *Mexico in Sculpture* (Cambridge: Harward Univ. Press, 1950), describe cómo dos salvajes sostienen el escudo de armas de Carlos I de España, que se encuentra en una vieja escultura en la ciudad de Tlaxcala (grabado 19); el otro es Jorge J. Rubio Mañé, quien describe la fachada de la casa de la familia Montejo en Mérida, Méjico. Los salvajes que aparecen aquí tienen la función de guardar y proteger, muy similar a la que tiene en el escudo de don Alvaro de Luna. Jorge J. Rubio Mañé, *La casa de Montejo en Mérida de Yucatán* (México: Imprenta Universitaria, 1941), p. 101.

existencia a alguna festividad o acontecimiento del pueblo; lo cual le daba índole de rito a muchas de ellas, mientras que las concebidas para la nobleza, se representaban casi siempre como parte de las fiestas de entretenimiento para la corte o como parte de las festividades para honrar a alguna persona real.

La primera función teatral que se conoce con fecha exacta es *magnus Ludus de quodam homine selvatico* (sic), presentada durante la fiesta de Pentecostés en el año 1208, en Padua.[6] A pesar de que poco se sabe de esta representación artística, no obstante, tomando en cuenta lo expuesto sobre el salvaje, no es difícil llegar a una interpretación bastante certera de la función y propósito que parece haber tenido tal criatura. La fiesta de Pentecostés celebra la venida del Espíritu Santo después de la resurrección de Jesucristo. En otras palabras, es una festividad que marca nueva vida; y en contraste con el luto y la abstinencia de la Semana Santa, se puede considerar como una época de exuberancia primaveral. Es por esto que la función del salvaje debe haber consistido en su reaparición o resucitación en la nueva temporada, que no sólo ponía fin a la invernal, sino que también representaba nueva vida, alegría y, sobre todo, fertilidad.[7]

Debido a su gran popularidad el hombre salvaje llegó a desempeñar una gran variedad de papeles, los cuales, no siempre eran de protagonista ni de primera categoría.[8] La mejor ilustración del carácter secundario que le era asignado, es la que lo presenta en la función de protector y cuidador del orden. Entre los varios ejemplos que se conservan, hay uno que está rela-

6. Alessandro D'Ancona, *Origini del Teatro Italiano* (Turín: E. Loescher, 1891), I, p. 89. También se sabe que en la misma ciudad de Padua en 1224, se presentó otra del mismo género en la cual aparecían gigantes junto a los salvajes. Desafortunadamente, esto demuestra la poca información que se conserva hoy día sobre las funciones teatrales itálicas que parecen haber constituido las primeras en su género.

7. También, de acuerdo con R. Bernheimer, el hombre salvaje era objeto de representaciones dramáticas de carácter opuesto donde en vez de hacer su reaparición era muerto con el propósito simbólico de marcar el final de la fiesta de carnaval. Muchas de ellas, durante la Edad Media y el Renacimiento, llegaron a tener una fisonomía de bacanal (*WMMA.*, p. 56).

8. Aunque hay muy poca información sobre su función exacta en estos papeles secundarios, existe un número mayor de datos históricos que señalan sus apariciones; véase: Robert H. Goldsmith, "The Wild Man on the English Stage". *MLN.* 53 (1958), pp. 481-91.

cionado con la procesión del Corpus Christi en Barcelona, durante los siglos XV y XVI (*WMMA.*, p. 62). Su función en esta festividad es de segundo orden, ya que solamente está encargado de mantener a los espectadores en su lugar, impidiendo así que interfieran con el transcurso del acto. Lo más probable es que se le asignara dicho papel por ser un símbolo de fuerza hercúlea. Por tanto, si bien era partícipe de la representación total, su papel no dejaba de ser secundario. Asimismo, como se ha visto en los ejemplos traídos a colación, su importancia y función en estas dramatizaciones parecen haber ido disminuyendo con el transcurso de los años. No obstante, su popularidad global no decae ya que se sigue empleando su figura con igual o más frecuencia, aunque de una índole complementaria.

La difusión y popularidad del uso del salvaje en obras dramáticas, al igual que en pinturas y esculturas, es un hecho de sobrada importancia que habla por sí solo. Empero, se debe recalcar una vez más un detalle de importancia que, además de revelar su propagación temática, apoya y justifica su existencia básica: el culto ritual de que fue objeto, a pesar de las objeciones y obstáculos que la religión ofrecía a lo que consideraba, básicamente, como una reminiscencia pagana.

LA TEMÁTICA RELIGIOSA DEL SALVAJE

La intención religiosa que acompaña al hombre salvaje en las obras de arte, puede dividirse en dos categorías básicas. La primera, es la que presenta a esta criatura sin conocimiento alguno de la existencia de Dios; y como es de esperarse, es objeto de una metamorfosis que termina en su cristianización. Esta transformación de un estado salvaje o primitivo a uno civilizado y cristiano, es uno de los motivos básicos que aparece repetidamente en las obras de los diferentes dramaturgos españoles del Siglo de Oro. Sin embargo, esta categoría literaria no se considerará en el presente capítulo, sino en un futuro estudio.

La otra categoría, no relacionada con el género literario, abarcará las opiniones de varios teólogos y una selección de obras de arte donde aparece el hombre salvaje acompañado de una tesis religiosa. A la par, dichas opiniones servirán de introducción para la mejor comprensión de las obras. Principiando con la mitología, hay que volver a recalcar las ideas expuestas por los tres mencionados escritores religiosos del medioevo. Para San Agustín, San Isidoro de Sevilla y Bartolomé Anglico, las divinidades de las selvas y bosques componían un grupo muy representativo, cuyo común denominador era antagónico a las doctrinas que mantenía la Iglesia medieval.

Entre todas estas criaturas fabulosas, la que aparece más frecuentemente en temas de motivos religiosos es el centauro.

El arte cristiano aprovecha su cuerpo heterogéneo «para simbolizar el desenfreno y las pasiones, el adulterio, la fuerza bruta y la venganza, así como la alegoría de los herejes y de la divisoria entre el bien y el mal» (*DMS.*, p. 107). Como se puede observar, su significado básico mitológico no varía mucho del que le asignan los ojos cautelosos de la Iglesia. Sin embargo, además de estas características, su valor alegórico se extiende para abarcar nuevos conceptos como el adulterio y el paganismo, contra los cuales la religión luchaba encarnecidamente tratando de erradicar.

Probablemente la mejor ilustración de lo que se suponía encarnar el centauro, se visualiza en las pinturas que tratan el episodio pecaminoso de la vida de San Antonio Abad. Dicho santo, en la hagiografía representa el prototipo del ermitaño quien, en su ardua existencia de continua privación y penitencia, encuentra numerosos obstáculos en forma de violentas tentaciones no sólo en el orden espiritual, sino también en el físico.[1] Para representar estas fuerzas antagónicas, los pintores utilizan centauros —símbolos de la tentación y del pecado.[2]

Ahora bien, si en ocasiones estos seres míticos son usados para simbolizar algo específico, como en el caso de San Antonio Abad, en otras la persona misma constituye el símbolo negativo, y se encuentra convertida en un hombre salvaje. El caso más antiguo de transformación a un estado inferior es el de Nabucodonosor de Babilonia, el cual aparece en el Antiguo Testamento. La historia trata sobre el castigo que Dios le impone a Nabucodonosor por su extremada soberbia y desobediencia. Como resultado, no sólo pierde la razón, sino que también su apariencia cambia al crecerle el pelo como un animal. Este estado salvaje, aunque temporal, lo relega a un nivel ínfimo entre las bestias.[3]

Al contrario del caso de San Antonio Abad, donde se usa

1. Donald Attwater, *The Penguin Dictionary of Saints* (Baltimore: Penguin Books, 1966), p. 49.

2. Véase también: G. Ferguson, *Signs and Symbols in Christian Art* (New York: Oxford Univ. Press, 1966), p. 14.

3. Casidoro de Reina, *La Santa Biblia* (Méjico: Bíblicas en América Latina, 1960), Daniel 1-4, pp. 813-18.

otra figura para representar alegóricamente lo pecaminoso e inferior, en el caso de Nabucodonosor, su misma configuración salvaje es suficiente para simbolizar lo que de otra forma se tendría que haber representado a través de otra figura adicional.

Otra faceta de importancia, que constituye una parte integral en el estado expiatorio de este personaje bíblico, es el cambio que Dios le concede al cabo de los «siete tiempos.»[4] Este cambio final en la transmutación de Nabucodonosor se efectúa con el propósito de probar la grandeza y el poder de Dios, e inculcar a su vez un sentido de humildad, obediencia que antes estaba en carestía. Asimismo, su restauración final a un estado previo, o a uno superior o más noble, constituye en numerosas ocasiones la finalidad temática y doctrinal del artista.

Otro ejemplo que parece seguir el modelo impuesto por Nabucodonosor, es el de San Juan Crisóstomo —analizando parcialmente en la sección dedicada a la iconografía. De igual forma que su antecedente, hay un descenso a un estado inferior donde lleva, según a leyenda, una existencia monstruosa por sus pecados. Básicamente, la leyenda narra cómo San Juan Crisóstomo llevaba una vida de ermitaño hasta ver una bella mujer, extraviada en el bosque; cayendo preso inmediatamente de sus instintos lascivos que lo llevan al extremo de violarla.

El castigo que sigue a este acto irracional no varía mucho del de Nabucodonosor, con la excepción de que él mismo es quien se lo impone. Otro punto de contacto existe en que San Juan Crisóstomo es perdonado por Dios, después de su ardua penitencia. Acto seguido, las similitudes con el patrón cesan. Como resultado de su contrición y penitencia es recompensado, cuando la dama que violó le presenta un hijo.[5]

Resumiendo, en los casos presentados se puede ver que lo

4. Los "siete tiempos" constituye el período que Dios consideró oportuno para la penitencia y expiación de Nabucodonosor.

5. E. Wind, "The Saint as Monster" *Journal of the Warburg Institute*, 1 (1938), p. 183. En el estudio de dicho tema, E. Wind, se ha basado específicamente en la pintura de Johann Theodor de Bry que aparece en *Emblemata Saecularia*. Se debe volver a mencionar que la popularidad del tema fue enorme y se refleja en el hecho de que fue utilizado por otros famosos pintores como A. Dürer y Hans Sebald Beham.

importante en el uso de estos seres o en las personas que aparecen en un estado salvaje, reside en el valor simbólico-religioso de sus acciones, que a su vez constituyen una imagen de lo irracional, elemental e inferior del ser humano.

En el capítulo anterior, se analizó la temática del salvaje primordialmente desde un punto de vista iconográfico, pero excluyendo obras de significado religioso con el propósito de tratarlas en esta sección. Veamos a continuación.

Uno de los lugares más preponderantes para esculpir la figura del salvaje, en cuanto a la iconografía religiosa se refiere, es el edificio de la iglesia: siendo los dos lugares más populares en ella, para estas esculturas, las fachadas y tumbas; las cuales son elaboradas decoraciones construidas para personas de alto rango.

Estas manifestaciones del tema en lugares religiosos sirve de ilustración y corrobora la popularidad de que goza el salvaje, ya que antes del siglo XV ocupaban tales decoraciones figuras de santos, ángeles, arcángeles, etc. De igual modo, las iglesias del mundo hispano son las que constituyen la sorprendente mayoría, donde se le da entrada al salvaje en sus decoraciones heráldico-religiosas. Es interesante notar que en todas las fuentes críticas e históricas revisadas, no se encuentran ejemplos iconográficos de otros países, con excepción de algunas pilas bautismales en Inglaterra. Según R. Bernheimer, la causa de este fenómeno puede ser debido a que, mientras los artistas alemanes se preocupaban más en aumentar el número de diseños heráldicos, sus coetáneos en la Península pusieron más énfasis en su exotismo mágico (*WMMA.*, p. 181). También es significativo el hecho de que España era un país sumamente cristiano y a todo se le trataba de dar no sólo una interpretación religiosa, sino también un nicho dentro del marco de la Creación.

La iglesia de San Gregorio en Valladolid, construída a fines del siglo XV, parece haber sido el primer templo en utilizar en su fachada a estos seres peludos,[6] los cuales ocupaban, dentro de la complicada configuración escultórica de la fachada, un

6. Marqués de Lozoya, *Historia del arte hispánico* (Barcelona: Salvat Editores, S. A., 1931), p. 39.

lugar antes reservado a figuras religiosas como profetas y santos (*WMMA.*, p. 180). Dicha elaborada decoración decorativa no es otra cosa que el blasón de los Reyes Católicos, por quienes fue construída. Como resultado, toda la fachada está relacionada de una forma u otra con Fernando e Isabel, incluyendo a los salvajes que aparecen bastante alejados del centro, en las jambas. El centro consiste de una fuente de donde sale el árbol de la vida, y en una de sus tantas bifurcaciones se encuentra el escudo de armas de los Reyes Católicos. El agua que sale de dicha fuente baña toda la fachada, incluyendo los lugares más remotos.

José M. Azcárate, refiriéndose a esta ilustración, manifiesta que los salvajes aparecen en la fachada sólo con una intención decorativa, y lo demuestra en su artículo, al reproducir solamente la pequeña porción de la fachada de la iglesia donde aparecen ellos, ignorando el valor panorámico de la configuración heráldico-religiosa. Richard Bernheimer, al contrario de éste, ofrece un juicio mucho más acertado y revelador en cuanto a la interpretación del asunto básico. Él opina, acertadamente, que la clave reside en el hecho de que los hombres salvajes, situados en las jambas, tienen que ser considerados como parte intrínseca y pertinente al brote de agua de la fuente; la cual es un símbolo de energía vital en esa oración de fertilidad que representa la magnífica decoración de la fachada (*WMMA.*, p. 183). Ya se ha expresado previamente, cómo el concepto de fertilidad y procreación es una parte básica que hereda el hombre salvaje de sus antecesores míticos, y que a su vez ayuda a moldear su idiosincrasia. Sin embargo, el concepto de fertilidad aquí expuesto, no se debe entender en un sentido inmoral o pagano, como se ha visto en ocasiones pasadas, sino dentro de un marco religioso y de acuerdo con la idea ortodoxa de la procreación.

La introducción del tema del salvaje en conjuntos escultóricos de motivos religiosos, no se limita a fachadas o puertas de iglesias, sino también al interior del edificio. En el claustro de la Catedral de Toledo, hay una incrustación donde aparece un salvaje luchando con un centauro («TIS»., lámina I, figura 4);

y la capilla del Convento de Medina del Pomar, tiene un salvaje sosteniendo una espada («TIS»., lámina I, figura 3). En los dos ejemplos, la función más probable e indicada parece ser la de proteger y guardar; basada en la idea de fuerza hercúlea del salvaje.[7]

Ahora bien, no es en esta parte del interior de la iglesia que el tema adquiere su máxima popularidad y difusión, sino en los sepulcros o tumbas, lo que demuestra claramente su sorprendente difusión y recalca a su vez su complicada naturaleza. Asimismo, se debe volver a hacer hincapié en la validez del juicio emitido por R. Bernheimer donde afirma que en España, al contrario de otros países, se refinan estas obras iconográficas para aumentar su exotismo mágico o religioso.

Entre las tumbas que exhiben a esta criatura, se encuentran la de Don Juan de Luna en la Catedral de Toledo («TIS»., lámina IV, figura 3), y la del Arzobispo Juan de Cerezuela («TIS»., p. 91). Llegar a establecer la relación que pueda tener el salvaje con el significado religioso de estos sepulcros, no es tarea fácil. El mismo R. Bernheimer hace solamente una mención mínima sobre el asunto, al exponer que dichas incrustaciones constituyen una idea de la ubicuidad del tema; mientras Azcárate sólo se contenta con presentar fotografías de los sepulcros en su artículo. Quizás la clave, para poder descifrar la función religiosa de estas incursiones, éste en el significado alegórico de la muerte y del sarcófago, aspectos básicos e imprescindibles. Alegóricamente, la muerte representa el fin de la existencia humana (*DSM.*, p. 259), la suprema liberación de la carne (*DS.*, p. 324) y, por tanto, la paz espiritual. El sarcófago no difiere mucho en su significado básico de la muerte ya que simboliza también el fin de la vida material (*DS.*, p. 411).

Antes de emitir un juicio final, se debe también mencionar que existe la posibilidad de que la figura del salvaje, en los sepulcros, sea solamente de una índole decorativa debido a su enorme popularidad. No obstante, lo más probable es que ten-

7. Bernheimer reporta igualmente que en algunas iglesias de Inglaterra, el salvaje se ve incrustado en las decoraciones de las pilas bautismales (*WMMA.*, p. 179).

ga una función específica y mucho más profunda. Hay tres explicaciones razonables: la más simple situaría al salvaje como guardián del sepulcro; la segunda, también le asignaría una función protectora pero guardando la paz espiritual del difunto; mientras que la última, lo asociaría no a sus cualidades positivas, sino a las negativas para ilustrar que hallándose el mismo en la parte de afuera de la tumba, que es su lugar permanente en cuanto al difunto se refiere, éste ahora disfruta de una duradera y definitiva paz espiritual; en la cual no pueden entrar las pasiones, instintos bajos e irracionales que simboliza el salvaje. O sea, que su posición en la parte exterior de la tumba, indica claramente que el difunto goza ahora de una paz espiritual donde ya no pueden penetrar las tentaciones pecaminosas de la carne.

Si el tema del salvaje penetró tan eficazmente en los propósitos doctrinales de la religión, no debe de extrañar en lo más mínimo que también, en ocasiones, haya sido objeto de interpretaciones teológicas.

Ya se ha mencionado previamente cómo dichos seres míticos (sátiros, faunos, panes, etc.) eran considerados demonios de segundo orden. Este concepto, al igual que muchos de ellos, prevalece en la mentalidad medieval, y es debido a esto que popularmente el salvaje se halla asociado con la figura del diablo en festivales, como el celebrado en Dresden, en la corte de Federico Augusto de Sajonia.

Tal asociación no debe sorprender en lo más mínimo, principalmente por dos razones: la tendencia de la Iglesia de calificar de diabólico y asociar con el diablo todo lo que ella consideraba heterodoxo; y sobre todo, la semejanza entre la figura heterogénea y peluda del salvaje y las formas animalescas que se creía el diablo adoptaba o encarnaba para entrar en contacto con sus seguidores.[8] Tampoco debe olvidarse que los animales peludos, como menciona la Biblia, constituían un recinto excelente para encarnar el espíritu demoníaco. Todo esto, apoyado por el hecho de que la iglesia en la Edad Media hizo

8. Jules Michelet, *Satanism and Witchcraft* (New York: The Citadel Press, 1969), p. 13.

al diablo un espíritu real y popular, en su lucha contra el paganismo.

Hay un escritor alemán, J. Gailer von Kaysersberg, quien dedica parte de su libro, titulado *Die Emeis,* a estudiar teológicamente la relación que él cree existe entre el salvaje y el diablo. En esta obra de índole doctrinal, Kaysersberg no sólo afirma su creencia de que hay una relación intrínseca, sino que en sus cinco categorías de salvajes hay una de ellas titulada *diabeli;* [9] dando a entender que una de las diferentes maneras en que el diablo puede hacer daño, es bajo la forma de salvaje y la irracionalidad que representa.

A través de lo expuesto, es posible ver cómo la temática del salvaje alcanzó en aquella época, popularidad y difusión en asuntos doctrinales. La religión, aunque por un lado parecía temer la fuerza de estos seres, por otro los usa a su propia conveniencia para avanzar sus propósitos doctrinales. Asimismo, no hubo lugar vedado, por sagrado que fuese, que pudiera prevenir la intromisión de figura tan ubicua; la cual no sólo fue objeto de interpretaciones de esencia popular, sino también de carácter teológico.

9. Las otras cuatro categorías son: "solitarii (the hermits, among whom he enumerates segiduis, Onuphrius, Maria Magdalena and Maria Aegyptica), sacchani (the wild men proper, her identified with satyrs), hyspani (the wild creatures from foreign lands as enumerated in the *Mervelles du Monde*) and piginini (pymies) (*WMMA.*, p. 199).